JN001631

超得！
ふるさと納税

ファイナンシャルプランナー
藤原久敏

彩図社

超得！ふるさと納税

地域の役に立つ＋特産品も手に入る
＝いいことづくめ!!

著者＆編集部セレクトの返礼品を多数紹介！

はじめに

自治体に寄附をすることで、実質 2,000 円の負担で、その土地の名産・特産品を返礼品としてもらえる「ふるさと納税」。

「ふるさと」とありますが、全国どの自治体を選んでもかまいません。

「納税」とありますが、制度としては寄附となります。地方活性につながり、とてもお得な制度として、近年、話題となっています。

でも、いざやってみようとすると…

「どこに寄附をすればいいの？」

「返礼品はどれを選べばいいの？」

「手続きってどうやるの？」

「お得になる寄附額には上限があるみたいだけど、私はいくらなの？」

「そもそも、なんでこんなにお得なの？」

などなど、疑問はいくらでもわき出てくるかと思います。そんな中、テレビや雑誌、ネット等で氾濫（はんらん）する膨大（ぼうだい）かつ断片的な情報の中で、途方にくれる人も少なくありません。

そこで本書では、ふるさと納税に関する情報を分かりやすくギュッとまとめ、１冊の本にしました。皆さんが必要な情報を絞り込むための一助となれば幸いです。

CHECKPOINT!

※本誌掲載の情報は2022年10月18日時点のものです。情報は常に更新されているので、QRコードで実際の返礼品紹介ページ等を確認して、最新情報をチェックしてみてください。

※返礼品は、時期によっては品切れ・受付期間外になっている可能性があります。早めのチェックがおすすめです。

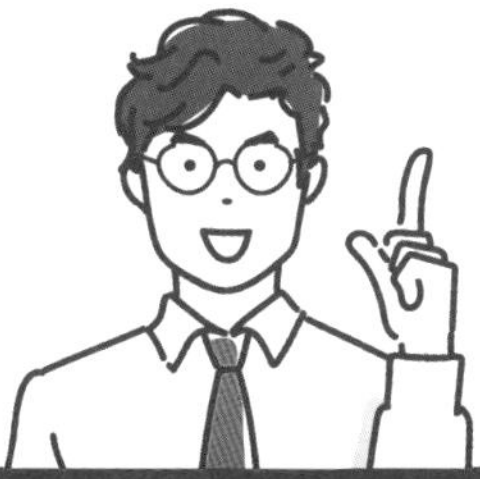

もくじ この本で 分かること・できること

第1章

返礼品
どんなもの
がある？

累計1800万個突破!!

一番
人気は
やっぱり
肉

牛スープで煮込み特製デミソースを
合わせた食べ応えのあるハンバー
グ。個食パックで使いやすい。

【福岡県飯塚市】
鉄板焼 ハンバーグ
デミソース 20 個　　10,000 円

あっさりおいしい

ロースとんかつ ・バラ焼肉 ・肩ローススラ
イス（生姜焼き用）・切り落とし ・ロース・バ
ラしゃぶのセット。

【宮崎県都城市】
「高城の里」わくわく 3.6kg セット
17,000 円

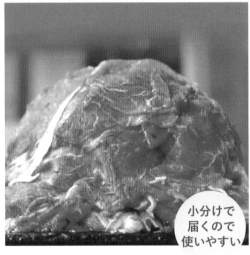

小分けで
届くので
使いやすい

手間暇かけた
氷温熟成牛

氷温技術で丁寧に熟成させた氷温熟成
牛。手間ひまをかけて旨味を引き出し、
柔らかく仕上げられている。
【大阪府泉佐野市】
国産牛小間切落し 1.8kg
11,000 円

旨みたっぷり
新鮮若鶏

出荷時期を選べる
のがうれしい。
【熊本県氷川町】
うまかチキン
もも＋むね
ハーフセット
（計２種類）計４kg
10,000 円

小分けで
解凍
しやすい

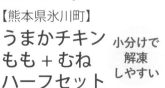

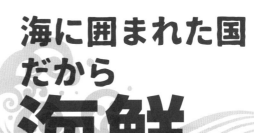

海に囲まれた国だから 海鮮

高鮮度が自慢・生食OK

3〜4Lの特大サイズが、お刺身もOKの高鮮度で届けられます。カニ本来のとろける甘みがぎっしりつまった絶品。

【福井県敦賀市】

カット生ずわい蟹
1000g
20,000円

ぜいたくな旨味と甘味

大粒で食べ応え抜群！ チャックつき袋で届くので保存にも便利。

【北海道紋別市】

オホーツク産
ホタテ玉冷大
（1kg）　**14,000**円

安心安全な天然マグロ

創業95年の老舗まぐろ屋が責任をもってお届け。計12パックの小分けなので手軽に使える。

【静岡県焼津市】

まぐろ ネギトロ
80g×12パック
10,000円

大粒の食感とうまみの幸せ

窒素による瞬間冷凍を行うことで、新鮮さと美味しさが1年間長持ちする。500g(250g×2)。

【北海道白糠町】

いくら醤油漬け 鮭卵　**19,000**円

 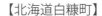

大地の恵みを たっぷり含んだ 野菜

80種類の野菜から 旬のものをお届け

配送の日付指定OK！

【宮崎県綾町】
「お好きな時にいつでもお届け」
旬のお野菜セット
【全6回】　30,000円

30年以上にわたり自然の生態系を活かした農業を推進する宮崎県綾町。地元の農家が生産した安心・安全な農産物や加工品が自宅に届く。

3ヵ月限定の幻のトマト

生産者も少なく今はあまり市場に出回らない幻のトマト。たった3ヵ月しか食べられない予約品。

予約品

【愛知県碧南市】
幻のファーストトマト 700g
6,000円

糖度50度以上の極蜜芋

水分を極限まで蒸発させて焼成した、糖度50度以上の紅はるか。

【鹿児島県姶良市】
畑の金貨 鹿児島県産
冷凍焼き芋 紅はるか
10,000円

(©島原市)

(©島原市)

旨味の決め手は名水

味が濃くてジューシー。
旨味の決め手は名水にあり。

【長崎県島原市】
肉厚干し椎茸 250g
8,000円

手摘み・無農薬

農薬を使わずに育てた、糖度の高い完熟ブルーベリー。

【青森県東通村】
冷凍ブルーベリー
（2kg）
10,000円

ジューシーなみずみずしさ

厳格な栽培から出荷までの品質基準をクリアして出荷された、博多あまおうブランドです。

予約品

【福岡県新宮町】
博多あまおう約1,120g
10,000円

旬の季節に届く 予約がおすすめ フルーツ

予約品

予約品

甘みがギュッ！

種がなく皮が薄いので丸ごと食べられるシャインマスカット。甘みと果汁がたっぷりつまっている。

【佐賀県唐津市】
シャインマスカット 2kg
21,000円

熊本が誇る柑橘の王様

生産量日本一の熊本からお届け。ひとくち食べると甘〜い果汁とプチッとはじけるような果肉があふれる。

【熊本県津奈木町】
デコポン約4kg（約10-20玉前後）
8,000円

おはしの国の人だから
お米

2022年10月〜発送開始

毎月5kg・6回お届け

一等級玄米のみを使用したお米を、発送日または発送日前日に精米してお届け。

【新潟県胎内市】
コシヒカリ
38,000円

精米歩合を指定できる

玄米から無洗米まで、精米方法が5種類から選べる福井のおいしいコシヒカリ。

【福井県坂井市】
ハナエチゼン 10kg
12,000円

いろいろセットが楽しい パン

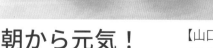

朝から元気！

祝食パン1斤、美味しい食パン1斤、ウォールナッツトースト1袋、ぶどうパン1袋、全粒パン1袋、イギリスパン1袋のセット。

【山口県田布施町】
朝食用
パンセット
6,000円

知る人ぞ知る名店

20年以上地元で愛されるベーグル専門店から、種類はおまかせで届くので、新しい味にも出会える。

【福岡県那珂川市】
NANA CAFE BAGEL
おまかせベーグル15個
15,000円

小腹が空いたら おいしい 麺

本場の讃岐うどん

細麺・並麺・太麺 240g×
各5袋＋めんつゆ付30
食分のたっぷりセット。

【香川県まんのう町】
3つの食感食べ比べセット

10,000円

細打ち・ちぢれ生麺 たっぷり 3種15食

明治34年から麺一筋の麺の専門店から届く15食。常備食としても保存食としてもOK。

【岐阜県飛騨市】
ラーメン食べ比べ堪能セット

5,000円

毎日食べて 栄養たっぷり 乳製品

生乳の良さがわかる

自然豊かな島根でとれた新鮮な牛乳から生まれたアイス。バニラ×2・ストロベリー・抹茶あずき・ビターチョコ・ブルーベリーの6個セット。

【島根県雲南市】
5種類のアイスクリーム **10,000**円

ホイップのような口どけ

手作りのコクがありながらもなめらかな口どけ。バターナイフで「フワッ」と取れる快感。225g×5個で届くのでたっぷり味わえる。

【大分県大分市】
みどりバター詰め合わせ

10,000円

日本各地の恵みがしみる
お酒

富士山麓 生まれの誇り

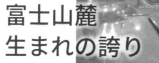

富士山の伏流水を地下100mから汲み上げ原料にしたビール。雑味がなく、すっきりとしたおいしさです。

【山梨県富士吉田市】
「ふじやまビール」
1L×3種類セット
10,000円

完熟の幸福感

フルーティな香りをまとった南高完熟梅を漬け込み、日本酒をブレンド。

【和歌山県和歌山市】
完熟・完熟にごり
720ml 2本セット
9,000円

世界が認めた 星つきワイナリー

「オーストリア・ウィーン国際ワインコンクール」4年連続、日本のワイナリー唯一の"1つ星"を獲得したワイナリーからお届け。

【岩手県花巻市】
贅沢スパークリング5本
飲み比べセット　33,000円

純米大吟醸・純吟の競演

四季醸造蔵だからできるフレッシュ感あふれる生酒の飲み比べ。

【富山県富山市】
純米大吟醸翼 + 純吟煌火
14,000円

明治より続く 伝統の焼酎造り

軽快な味わいと口いっぱいに広がる豊かな香りを楽しめる麦焼酎。

【鹿児島県曽於市】
麦焼酎「麦王パック」
15,000円

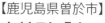

夕食の「あと一品」にも使える
おかず・おつまみ

添加物不使用

昭和の塩辛180g×2瓶と北の黒づくり
120g×1瓶。「あと一口」が止まらない！

【青森県鰺ヶ沢町】
塩辛とイカ墨塩辛セット
10,000円

あふれる肉汁がたまらない

やわらかくて甘みのある「五島SPF豚」を使用。
もっちりした皮で包んだ逸品。

【長崎県五島市】
美豚餃子 15個入×3袋
5,000円

ナッツ本来の食感を楽しむ

焙煎を行わない「生くるみ」「生マカダミア
ナッツ」を使用した、天然サプリメント。

【愛知県碧南市】
無塩ミックスナッツ 4種2kg
10,000円

食卓が贅沢になる

お肉の専門家から届く、約680g（4～
5人前）のジューシーなウインナー。

【大分県豊後高田市】
ジューシーあらびきウインナー
5,000円

最大6ヵ月待ち

予約品

山形県ブランド米「つや姫」を使用。米粉のやさしい甘みと生クリームホイップのうまみが堪能できる。

【山形県上山市】
かみのやまシュー 6個
3,000円

よりすぐりの詰合せ

マルセイバターサンド等の焼菓子を中心とした、豊富なバリエーションが人気です。

【北海道帯広市】
六花亭・六花撰
22個入
11,000円

ときめきのプチごほうび
スイーツ・おやつ

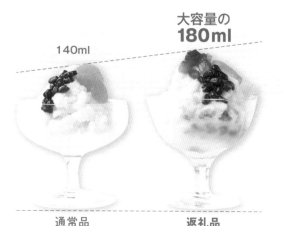

大容量の
180ml

140ml

通常品　　　　　　返礼品

通常品よりも大きい

140mlの通常品より大容量の180ml。長期保存も可能なので、買い置きにもぴったり。

【鹿児島県大崎町】
南国白くま 10個詰合せ
8,000円

米粉のまろやかな甘み

佐世保産の米粉を使用したまろやかな甘さとベリー系ムースの味が楽しめる。

【長崎県佐世保市】
フルーツデザート KANぱふぇ（3缶）
10,000円

日々のホッとひととき
ソフトドリンク

伝統薬がモチーフ

1300年以上続く伝統薬『陀羅尼助』をモチーフにして、キハダの果実、紫ウコン等をブレンドしたユニークなコーラ。薬っぽさはない。

【奈良県高取町】
湧き水のキハダコーラ
7,000円

世界遺産が育んだ
硬度0.2mg/lの「超」軟水

白神山地で育まれた湧き水を、非加熱製法にてボトリング。山水のおいしさがそのまま味わえる。まろやかな口当たりが好評で、コーヒー、お茶、お料理にも最適。赤ちゃんも安心して飲める。

【青森県鰺ヶ沢町】
白神山地の水
2L×12本
10,000円

©鰺ヶ沢町

簡単に飲める高品質なお茶

本格的な緑茶・ほうじ茶・金山茶・玄米茶のティーバッグが44袋入ったセット。気軽に飲めるのが嬉しい。

【岐阜県高山市】
ほっこり日本茶
ティーバッグセット4種
6,000円

コーヒー豆の
粒度が選べる

ブラジル産珈琲豆を日本製焙煎機を使用した本格派。豆のまま、粗挽き、中挽き、極細挽きが選べる。

【岡山県高梁市】
極上の甘みと香りの珈琲
400g
5,000円

新開発「3DローテーションIH構造」

より複雑で激しい縦横無尽の対流を引き起こし、ふっくらおいしいごはんが炊ける象印最高峰の炊飯器。

【大阪府大東市】
象印圧力IH炊飯ジャー 炎舞炊き
350,000円

毎日の暮らしが 楽しくなる
ホーム アイテム

おしゃれでおいしい

遠赤グラファイトで、外はカリッと、中はモチッと仕上がる。

【兵庫県加西市】
アラジン トースター 2枚焼き
30,000円

脚を投げ出せるくつろぎソファー

日本人にとって本当に寛げる姿勢、ポジションを検証してつくられた低座面・深い奥行き・背もたれ115度の名品。

【静岡県藤枝市】
ローソファー［ジータ］
2.5人掛け・全10色
280,000円

10〜15°
115°

古墳が家に来る

原寸の650分の1で、できるだけ忠実につくられた箸墓古墳。ふるさと納税限定カラーもあり。

【奈良県桜井市】
リアル古墳クッション
51,000円

「ちょっと贅沢」に手が届く 日本の名品

日本一の刃物のまちから

継ぎ目がなく衛生的なオールステンレス。鋭い切れ味はもちろん、手入れのしやすさ、扱いやすさに定評あり。

【岐阜県関市】
関刀神 三徳包丁 16.5cm
5,000 円

一度に揃う５色セット

不動の人気を誇る『しのぎ』シリーズの中でも大人気の5色。瑠璃・キャメル・アメ釉・グレー・緑釉がセットで届く。

【長崎県波佐見町】
波佐見焼 しのぎ 中皿 プレート
25,000 円

竹の良さを感じる

自然素材のぬくもりと、職人さんの手仕事から生まれる美しい編み目でできたマルチ篭。

【大分県日出町】
竹細工 買い物篭白手付
127,000 円 （W32×D22.5×36）

鎌倉伝統のテイラーの極上オーダーシャツ

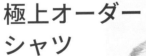

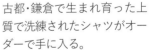

古都・鎌倉で生まれ育った上質で洗練されたシャツがオーダーで手に入る。

【神奈川県鎌倉市】
鎌倉シャツギフトカード
30,000 円 （9,000円分）

アドバイザーと相談して選べる絵本セット

おおよそ3〜5冊のセット。セットの内容はアドバイザーとの打ち合わせで決められるので安心。ゆっくり届くので待つ間も楽しい。

【宮崎県木城町】
木城えほんの郷オリジナルえほんセット
〜6歳までAセット〜
15,000円

家族で聴きたいCDセット

名盤CDとオリジナルグッズ。CDは秋山和慶指揮・ベートーヴェン「交響曲第9番・合唱付き」。グッズは、オーケストラのすべての楽器のパーツをあしらった和手ぬぐいと、滑らかな書き心地で人気のロゴ入りボールペン。

【神奈川県川崎市】
東京交響楽団応援CDとオリジナルグッズ
17,000円

備えて安全 揃えて安心 防災 グッズ

大容量モバイルバッテリー搭載のランタン。防災だけでなくキャンプでも大活躍！

9パターンの色モードLEDの中から好みの明るさで使用できる

2WAYで用途は2倍以上
【神奈川県海老名市】
大容量モバイルバッテリー搭載LEDキャンピングランタン
16,000円

ちいさな家族にも おすそわけ ペット

森のジビエ

カット肉、ミンチ肉、両方のセットからひとつを選べる。

【岡山県西粟倉村】
森のジビエ for PET 鹿肉
2kg セット　16,000円

猫が飛びつく無添加フード

大事な猫ちゃんに！高タンパク低糖質、かつお100％の無添加キャットフード。

【静岡県焼津市】
かつお キャットフード
約80g 入×8袋　10,000円

なにより 大事な ヘルスケア

毎日の ちょいトレに

場所とらずで1台6役 マルチ健康ボード。

【大阪府八尾市】
バランス＆
ツイストボード
10,000円

日本のプロテイン

日本人の身体を考えて開発されたプロテイン。

【島根県雲南市】
IZMO プロテイン
1kg ×2個
20,000円

基本のコースを ふるさとで

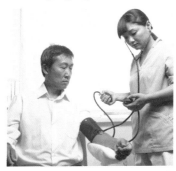

生活習慣病や胃がん・肺がんの検査が出来る基本的な人間ドック。

【愛知県津島市】
人間ドック
Aコース
30,000円

ひと味違う体験で思い出を残そう
体験型返礼品

「ボーイング777-300ER」のフライトシミュレーターでの操縦体験。飛行経験豊富なパイロットが同席するので、初心者も安心です。

【東京都 品川区】
フライトシミュレーター 操縦体験 30分コース
50,000円

18歳未満の方は保護者同伴

海中イケスの中にいるジンベエザメとのダイビング。約50cmの距離で観察できます。事前にしっかり説明があるので初めてでも安心！

【沖縄県 読谷村】
圧巻！ジンベエザメ 体験ダイビング（1名）
46,000円

対象は満10歳以上。
小学生は保護者同伴での参加。

ポルシェ・エクスペリエンスセンター東京で、好みの車種で90分のパフォーマンスを楽しめる！

【千葉県 木更津市】
ポルシェ ドライビング エクスペリエンス
170,000円

ご当地ヒーロー・タカゴールド就任のほか、ペア1日宿泊券・キャラクターグッズがもらえる。

【兵庫県 多可町】
「タカレンジャー」 タカゴールドになれる券
1,000,000円

本物の「修行」に参加することで、
心身ともにスッキリさっぱり！

【大阪府泉佐野市】
真言宗の大本山 犬鳴山
七宝瀧寺で一日修験体験
27,000 円

城主手形は、熊本市が管理する観光施設への入園が無料となるほか、協賛店で特典を受けることができます。

【熊本県熊本市】
熊本城
復興城主
城主証・城主手形
10,000 円

超！高額寄付

競馬場やゲームでお世話になった恩返し。
寿命をまっとうできることが少ない馬たちの生活を支えられる。

【高知県須崎市】
競走馬 引退後の
余生支援
1億 5,000 万円

※画像は
イメージです

トイレもキッチンもシャワールームもある、最高級の「動く家」。受注生産のため発送は応相談。

【茨城県下妻市】
スマートモデューロ
（12M完成品）
3,300 万円

お金持ちのお友達に
紹介してください

地域のために できる 支援

ここで取り上げたのは、全国にある類似のふるさと納税のごく一部です。他にもあるので、ゆかりのある自治体のものもチェックしてみてください。

災害からの 復興支援 返礼品なし

近年、発生数が増えてきた災害からの復興を応援するもの。支援先の自治体や金額などは自分で決めることができる。

【各自治体】
災害支援・応援寄附
1,000円〜

※「楽天ふるさと納税」で「災害支援」をキーワードにサーチしたページです

子どもの 居場所づくり支援 返礼品なし

子どもたちに食事を提供し、地域の子どもと大人が交流できる場である「子ども食堂」などの子どもの居場所づくり活動の資金となる。

【山形県】
子どもの居場所づくり
2,000円

高齢者見守り

離れていても安心できる プロによるケア

医療・福祉のプロによる見守り訪問サービス。スタッフが毎月1回訪問し、心身の状態、生活状況を確認して、その結果をご家族へお知らせするサービス。

【香川県高松市】
みまもり訪問サービス
3ヵ月コース
120,000円

盲導犬育成支援

返礼品なし

寄附者の想いが盲導犬の育成と福祉の向上を実現する。金額が異なるコースや、オリジナルグッズをもらえるコースもあり。

【京都府亀岡市】
盲導犬が育つまち
応援事業
5,000円

障がい者支援

医療的ケア児を含む重症心身障がい児・者9名がデザインしたアクリルコースター。

【岩手県平泉町】
ぽけっとの会
オリジナルコースター
10,000円

旅先で使える 金券・クーポン

かわいい動物もおいしい食事もデザートもぜんぶ楽しめる

牧場をまるごと楽しめる3種類の券。各2名分のペアセット。

【千葉県富津市】
マザー牧場 入場券・食事券・ソフトクリーム引換券
20,000円

日本最南端の竹富町で乗船券・ツアー代等に使える

1,000円券×3枚セット。乗船券の購入やツアー代金などの精算時に利用できる。

【沖縄県竹富町】
安栄観光クーポン券
10,000円

みんなは何を選んでる？

「こんなに色々あると、なにを選べばいいか分からなくなっちゃう…」という人は、このページを参考にしてください。

（2022年10月18日時点のデータです）

返礼品のジャンル人気ランキング

1位 果物

2位 肉 （牛肉、豚肉、鶏肉、その他）

3位 米

4位 魚介 （いくら、うなぎ、カニなど）

5位 チケット・商品券

「ふるとく」ふるさと納税でもらえる返礼品のジャンル人気ランキング（https://furusato-toku.red/popular-ranking-14045）（2022.10.18）より引用

「よかったもの」人気ランキング

1位 肉類

2位 魚介・海産物

3位 米

4位 果物・フルーツ

5位 酒・アルコール

「ふるさと納税ガイド」3,000人に聞いた！ふるさと納税で「よかったもの」人気ランキング【2022年】（https://furu-sato.com/magazine/30349/）より引用

著者が入手してみて良かったものランキング

RANK 1
福岡県飯塚市
鉄板焼ハンバーグデミソース
20個入り

返礼品専用に開発・製造したソース使用というだけあって、非常に美味でした。たっぷり20個あって、質・量ともに大満足でした。

RANK 2
高知県宿毛市
ハッピーフルーツ果樹園の
土佐文旦5kg

大きくてジューシーな文旦が、ゴロゴロ入っていました。文旦など普段あまり買う機会はないので、物珍しさも含めて大満足。

RANK 3
福岡県川崎町
やまや博多もつ鍋5人前

コロナ禍でなかなか外食が難しい中、自宅で、本格博多もつ鍋を楽しむことができ、家族全員が大満足でした。

都道府県別ランキング（令和3年度）

北海道と九州が強い

デパートの物産展でも、北海道や九州は定番なことからも、「美味しいものが多い」とのイメージがありますよね。そんなイメージの後押しもあるでしょうが、それ以上に、魅力的な返礼品を数多く取り揃えるなど、ふるさと納税に対する各自治体の熱量の賜物と言えるでしょう。

1位 北海道 約1217億円

自治体単位でも北海道は強い

1位	北海道紋別市	152億円
3位	北海道根室市	146億円
4位	北海道白糠町	125億円

（自治体別ふるさと納税の寄付金額ランキング）

2位 宮崎県 約464億円

3位 福岡県 約447億円

5位 山形県 約374億円

4位 鹿児島県 約400億円

6位	佐賀県	350億円
7位	兵庫県	290億円
8位	山梨県	280.30億円
9位	静岡県	280.28億円
10位	大阪府	258億円

総務省　ふるさと納税に関する現況調査結果（令和4年度実施）
https://www.soumu.go.jp/main_content/000827748.pdf より

2万円セット

しっかり

働きざかりシングル
小野寺さん
のセレクト

自分で使うものを、
とにかくお得に
手に入れたい！

たっぷり約4ヵ月分

【宮崎県日向市】
にんにく卵黄純力サプリメント
〔35粒×4袋〕　　10,000円

備長炭入りでぐっすり

【山形県山形市】
首痛肩こり専用グッスリ枕
両面凹凸構造　　10,000円

まんぷく

3万円セット

夫婦＋子供2人
牧さんファミリー
のセレクト

家族みんなが満足でき
るものを、ボリューム
重視で選びたいね

たっぷり20食セット

【静岡県焼津市】
焼き調理麺20食
10,000円

がっつり20個セット

【福岡県飯塚市】
ハンバーグ
デミソース20個
10,000円

どーんと3尾1,000g

【福岡県新宮町】
うなぎの蒲焼
10,000円

28

ぜいたく　4万円セット

長年のおしどり夫妻+犬
鈴木さん夫婦
のセレクト

年に1度の旅行に
ふるさと納税を
活用したいです

ペットを連れて温泉へ行ける

【福井県あわら市】
あわら温泉 宿泊利用券
6,000円分　　**20,000**円

ガラスの街小樽生まれの美品

【北海道小樽市】
ロックグラス「CRACKS」ペア
19,000円

5万円セット　たっぷり

夫婦+子供1人
山本さんファミリー
のセレクト

家族の健康のために、
体にやさしくておいし
いものがいいね

佐渡の農場生まれ

【新潟県佐渡市】
ナチュラルバター
&チーズセット
10,000円

全6回の定期便

【宮崎県綾町】
旬のお野菜
セット　**30,000**円

サイズ不揃い2kg

【宮崎県延岡市】
訳ありしらす
10,000円

みやびに 6万円セット

**仕事大好きシングル
吉野川さん**
のセレクト

日本のものが好きなので、この機会に、気になっていた和ものをゲットします

4月の開花が楽しみ

【大阪府池田市】
桜5本寄せ盆栽
17,000円

安心の南部鉄器

【岩手県奥州市】
焼き焼きグリル
どっしり深形
26,000円

自宅で屋久島を感じる

【鹿児島県屋久島町】
屋久杉のお香
30本入り
15,000円

充実の 20万円セット

**夫婦＋子供1人
峰さんファミリー**
のセレクト

じっくり選んでる時間はないけど、得するチャンスは逃したくない！

組み立て不要

【大阪府泉佐野市】
7段変速
クロスバイク
117,000円

冬もあたたかい

【福井県坂井市】
NANGA × SUNDAY MOUNTAIN
ダウンシュラフ
51,000円

約400g前後×10

【熊本県大津町】
うまかポーク
約4kg
10,000円

時間のない時に

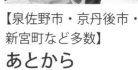

【泉佐野市・京丹後市・
新宮町など多数】
あとから
セレクト

金額も
自分で
選べる

「あともう ちょっと…」を埋める 値段あわせの お手頃アイテム

1,000円ポッキリ！　ポストで受け取れる

大好評につき
3ヵ月待ち！
淡いピンク色の塩

【鹿児島県和泊町】
島の恵みの
ローゼル塩

幻のじゃがいも
マチルダがゴロッと
入ったカレー

【北海道芽室町】
十勝めむろ
レトルトカレー

ヒトの7倍の
ウシさんが暮らす
牧場のマチからお届け

【北海道別海町】
今朝もあんバタる？
あんバタセブン

2,000円ポッキリ！　お値段以上の価値あり

世界遺産・白川郷産の
シルクの肌触り

【岐阜県白川村】
お肌に優しい
洗顔石鹸 12g

添加物不使用の
最強！万能！調味料

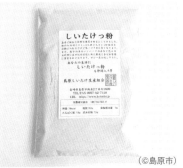

（©島原市）

【長崎県島原市】
しいたけっ粉
150g

あっさり鶏ガラ
スープがなつかしい

【長崎県島原市】
島原味の麺
即席ラーメン
4人前

寄附金はどのように使われている？

福島県福島市の例

ふるさと納税は、単独でのみ利用されているわけではなく、クラウドファンディングとの連携によるプロジェクトも実現しています。福島市にできたこの「道の駅ふくしま」はその一例です。

地域の振興拠点として2022年4月にオープンした「道の駅ふくしま」

ふるさと
納税　＋　楽天クラウド
ファンディング　＝　**道の駅
ふくしま**

地域の希望をつくるピースのひとつとして ふるさと納税は役立っています

動画で詳細が見られます→

道の駅により販路を拡大することができたいちご農家の片平さん

木の温もりが感じられるこどもあそびばは、市内外の人との交流拠点にも

福島市の返礼品（このほかにもたくさんあります）

雄大な自然が育んだ極上の霜降り

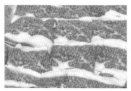

とろける肉質・甘く薫る、牛肉の傑作・福島の黒毛和牛。

**福島牛切落し
900g
19,000円**

くだもの王国福島からの定期便

桃、梨、シャインマスカット＆巨峰orピオーネ、りんごが届く。

**フルーツ4種
定期便
46,000円**

第2章

返礼品どうすればもらえる？

返礼品を入手する

step 1 / 自分の寄附金額の 上限を確認する

step 2 / 返礼品を選んで 寄附を申し込む

step 3 / 返礼品を受け取る

step 4 / 寄附をしたことを 申告する

かんたんステップ

自分の上限額の確認方法

①
本書
58～59
ページ
の表

②
総務省のシミュレーション

控除額（目安）の計算が
エクセルでできる
https://www.soumu.go.jp/
main_content/000408217.pdf

③各ポータルサイトのシミュレーション

例：楽天ふるさと納税
かんたんシミュレーター

自治体版

ふるさと納税
ポータルサイト
↓
36ページ～

各自治体の
特設サイト
↓
43ページ

企業版もあり

企業が自治体に寄
附をすることで税
負担が軽減される

企業版ふるさと納税ポータルサイト
https://www.chisou.go.jp/tiiki/tiikisaisei/
kigyou_furusato.html

- 宅配便等で届く
- ポストに届く
- スマホで受け取る

食べる
飲む
使う
旅をする

申請の方法は２つ

ワンストップ特例制度

年間寄附先が５自治体以内で
他に申告するものがない人
→70ページ

確定申告

・年間寄附先が６自治体以上
・もともと確定申告が必要な人等
→72ページ

ポータルサイト「ビッグ4」

楽天ポイントをためて寄附に使える

楽天 ふるさと納税

自治体数	約1,500
返礼品数	約40万
ポイント	楽天ポイント
決済方法	3種類

「楽天市場」でのお買い物同様にポイントアップキャンペーンも対象で、寄附額に応じた「楽天ポイント」がもらえることが、このサイト最大のメリットです。なお、楽天ポイントは寄附に使うこともできます。
サイトの使い方は楽天市場と同じ。あらためて会員登録する必要もないので、楽天ユーザーなら迷わずこのサイトです。

申し込みできる自治体数No.1

ふるさとチョイス

自治体数	1,600以上
返礼品数	約42万
ポイント	なし
決済方法	13種類

ポータルサイトの先駆けだけあり自治体との関係も長く、そのため掲載の自治体・返礼品数が非常に多いサイトです。
コンテンツは返礼品だけでなく「使い道」「ランキング」など多岐にわたり、地域に密着しているため特集記事も充実しています。
そして支払方法の選択肢も群を抜いて多くなっています。（51ページ参照）

数あるサイトの中でも、掲載自治体数・返礼品数で群を抜いているのがこの4つです。まずはこの4サイトをチェックしてみましょう。

利用率・認知度NO.1
操作もしやすい

さとふる

自治体数	約1,100
返礼品数	約50万
ポイント	マイポイント
決済方法	7種類

知名度が非常に高く、多くの人が使っているサイトです。
誰にとっても使いやすいという点には定評があります。
キャンペーンのほとんどがPayPay付与なので、とくにPayPayユーザーにはおすすめです。
2022年11月から始まった独自の「さとふるマイポイント」にも注目。（49ページ参照）

家電が強く
コインの使い道が多い

ふるなび

自治体数	約900
返礼品数	約33万
ポイント	ふるなびコイン
決済方法	4種類

「ふるなびコイン」は、Amazonギフト券、PayPay残高、楽天ポイント、dポイントに交換できるので便利です。コインの還元率は寄附額の1～2％で、キャンペーン時に最大12％になったこともあります。
また、返礼品レビューを書くことでの加算もあります。レビュー数5件未満の返礼品のレビューを書くと200コインもらえます。

※自治体数・返礼品数は2022年10月18日時点の概算です。これらの数字は常に変動しているので、最新の情報は各サイトでチェックしてください。　※ポイントの詳細については48ページ参照　※決済方法の詳細については51ページ参照

他にもたくさんある！
お得で楽しいポータルサイト

企業が運営するポータルサイトも数多くあります。それぞれ独特の特徴や強みを持っているので、のぞいてみるだけでも楽しいし、利用するとさらにお得です。

旅好きの人向け
マイルが効率よくたまる

ANAの
ふるさと納税

・掲載自治体数約700、返礼品数約24万は、4大人気サイトに迫る
・サイト独自ポイントとして、ANAマイルが100円寄附につき1マイルたまる
・ANAオリジナル返礼品がある

※JALふるさと納税のサイトもあります

掲載数が大幅増加
独自ポイントもあり

au PAY
ふるさと納税

・掲載自治体数約900、返礼品数約30万は4大人気サイトに迫る
・サイト独自ポイントとして、寄附額の1%Pontaポイント還元（随時キャンペーンあり）
・貯まったポイントは寄附に利用できる（49ページ参照）

ポータルサイト
Q&A

Q1.
複数のサイトを
利用してもいい？

大丈夫です！

といっても、あまり多くのサイトを利用すると管理が大変なので、2つか3つに絞るとよいでしょう。

Q2.
サイトの
利用料は？

かかりません！

ですから、サイトを積極的に利用しましょう。

運営はJR東日本
独自返礼品がユニーク

JRE MALL
ふるさと納税

・JR東日本が運営している
・サイト独自ポイントとして、JRE POINTがたまる（最大3.5%）
・「車両メンテナンス体験」「駅長体験」など、JRならではの他にはないオリジナル返礼品がある

※募集時期が限られている場合があります

デパートならではの
上質な品揃え

三越伊勢丹
ふるさと納税

・三越伊勢丹が運営するサイトなだけに、返礼品の質が高い
・店頭カウンター開催時は、スタッフに直接相談できるので安心
・エムアイポイントがたまる（キャンペーン時は通常ポイント＋最大3％）
・年末にお届け可能な返礼品も多数

Q3.
ふるさと納税の
ポータルサイトはどれくらいある？

把握しきれないくらい
たくさんあります

主なものは20程度ですが、ミニマムでマニアックなものも多く、すべてのサイトを把握するのは困難なほどです。

でも、多種多様ということは…

あなたのニーズにピッタリ合うものが見つかるかも！

→著者の「ピッタリ」は52ページで紹介

テレビ局が運営
動画コンテンツが魅力

ふるラボ

・朝日放送テレビが運営するサイト。動画コンテンツが豊富なので、動画を見慣れている人との相性が良い
・返礼品の紹介だけでなく、応援（寄附）した自治体のストーリーや思いを伝えることで、地域の魅力を伝えてくれる。ポイントバックも随時開催！

キャンペーンが
超強力！

ふるさと本舗

・飲食料品の返礼品がとくに充実している
・キャンペーン実施時には、寄附額の最大10％のAmazonギフト券がもらえる。他に、「PayPay」を使って支払うと抽選で決済金額の100〜0.5％相当分のPayPayボーナスが付与されることもある

Q4.
結局、どうやってサイトを選べばいいの？
基本的に、以下の3点を満たしたサイトを選びましょう。

掲載自治体・返礼品数が多い

サイトの使い勝手が良い
とくに検索機能

支払方法の選択肢が多い
クレジットカード払いがあるとGOOD

その ほかにも…

周りに使っている人が多い

自分の趣味に合う

旅行好きな人向け
JTBが運営するサイト

ふるぽ

・旅行クーポンが豊富で、メールで到着する「JTBふるさと納税旅行クーポン」（有効期間2年間）が特に人気
・全国のJTB国内商取扱店舗で旅行相談ができ、旅先も750以上！
・宿泊のみだけでなく、宿泊＋JR/飛行機のJTB国内旅行に利用可能！

東急グループ運営
オリジナル返礼品あり

ふるさと
パレット

・東急グループが運営するサイトで、東急グループと自治体が共同開発したオリジナル返礼品がある
・年間寄附額30万円以上の人は、希望に沿った返礼品を無料で提案してくれる「コンシェルジュサービス」が受けられる

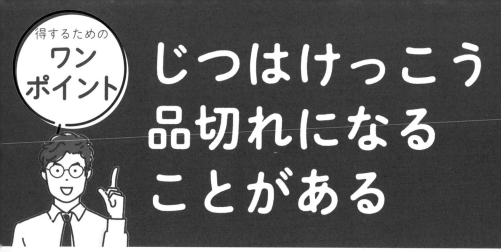

得するための
ワンポイント

じつはけっこう品切れになることがある

人気返礼品はすぐ品切れになる

　年末ギリギリになって、返礼品を探し始める人は多いもの。なぜなら寄附額上限は暦年単位で、また収入（＝寄附額上限）がハッキリするのは年末だからです。

　しかし年末だと、人気返礼品は品切れの可能性が高く、また、ギリギリのタイミングで焦って選ぶことで、選び方が雑になってしまうことも。そして、年末はサイトもつながりにくいもの。ですので、返礼品は早め早めにリサーチしておきましょう。

　事前に吟味しておけば、年末は申込作業だけなので、余裕を持ってできるはずです。

品切れ回避のポイント

旬のフルーツなどは人気が高いので、先行受付を利用しよう
（44ページ参照）

募集開始のタイミングなどは、自治体に直接電話して聞いてみるのもアリ

募集があればすぐに申し込めるように、普段からこまめにチェックするという地道な努力が不可欠

再出品されることもあるので、あきらめずにチェックを続けると、いいことあるかも？

確実にゲットするために
チェックしておきたいサイト

　すぐに品切れとなるような人気返礼品を実施している自治体は、ふるさと納税にかなり力を入れており、返礼品の種類も非常に多いです。

　そして、そのような自治体は、自前で立派な「ふるさと納税特設サイト」を設けていることが多いです。

　そんな特設サイトがあれば、いち早く募集開始を知ることができ、また、募集タイミング（予告）についても「新着情報」欄等でアナウンスしてくれるケースもあるので、要チェックです。

自治体自前のふるさと納税特設サイト

　独自のキャンペーンや限定返礼品を実施するなど、各ふるさと納税ポータルサイトと遜色ないサービスを実施するところもあります。

山梨県富士吉田市

この自治体の返礼品 → 12ページ

宮崎県都城市

この自治体の返礼品 → 6ページ

北海道紋別市

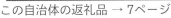

この自治体の返礼品 → 7ページ

大阪府泉佐野市

この自治体の返礼品 → 6ページ他

一番おいしい時に おいしく食べる ための工夫！

先行受付をうまく使おう

旬のフルーツや野菜などが返礼品の場合、発送時期は決まっています。

たとえば、最近人気のシャインマスカットだと、一般には8月上旬頃が多いです。ですので、発送時期が近づいてからの申し込みでもいいのですが、絶対に申し込もうと決めている返礼品があれば、「先行受付」を利用したいところです。

やはり旬のモノは、その旬の時期が近づいてくると注目度が高まり、人気の品は品切れとなる可能性がありますが、先行受付をしておけば安心ですね。

人気返礼品の一般的な発送時期

※旬の時期・先行受付の有無は自治体によって異なります
※生育・収穫状況等によって、発送時期がずれ込む可能性があります

冷蔵庫の空きスペースを確保しておこう！

受け取りのタイミングがかぶると悲劇が起きる

　ありがちな失敗が、「返礼品が一気に届いて、冷蔵庫に入りきらない」というものです。

　なかには、大きな冷蔵庫に買い替えたり、返礼品専用のサブ冷蔵庫を購入したりする強者もいるようですが、現実的な対策としては、申込時期（到着時期）をずらすこと。

　ただ、ボリュームのある返礼品だと、その返礼品だけでも冷蔵庫を占拠するので、その場合は事前にスペースを空けておきましょう。

重量だけでなく、かさばる品（カニや殻付きの牡蠣など）にも要注意

返礼品が届くのは年1回とは限らない

　高額寄附の場合は、返礼品のボリュームも大きくなりがちなので、何回かに分けて届く「定期便」にするのも一つの選択肢です。

定期便の例

 サーモン

3カ月ごと合計4回

 ホタテ

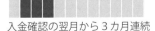

入金確認の翌月から3カ月連続

 野菜セット

入金確認の翌月から連続

返礼品の「お得度」は還元率でわかる

還元率とは…

$$還元率 = 返礼品の市場価格 \div 寄附金額 \times 100$$

※一般的なサイト等での還元率の計算式

還元率は基本的に30%だけど…

　還元率とは、寄附額に対する返礼品価格の割合のこと。国はこれを上限3割としています。

　しかし実際には3割を超える返礼品は珍しくありません。なぜなら、国が定める基準では、返礼品価格は「市場価格」ではなく、自治体の「仕入価格」だからです。なので、寄附額1万円に対して市場価格5000円の返礼品（還元率5割）でも、仕入価格が3000円であれば問題なし。

　一般に、サイト等での還元率は返礼品価格は「市場価格」で見積もるので、なかには還元率10割を超えるような返礼品もあるのです。

還元率	自治体	返礼品	寄附額
116%	佐賀県伊万里市	伊万里牛（A-5）　モモスライス 800g	15,000 円
109%	福岡県福智町	博多牛もつ鍋10人前（国産牛もつ1kg）	10,000 円
99%	鹿児島県伊佐市	手づくり黒豚にんにく餃子 50個	5,000 円
86%	北海道池田町	北海道十勝ローストビーフ 750g	10,000 円
84%	高知県四万十町	四万十うなぎ蒲焼カット3袋セット 210g	10,000 円

※次ページ「ふるさと納税ガイド」の還元率ランキングより抜粋（2022年10月18日）

還元率100％以上の品もある

　なかには還元率10割を超えるような返礼品もあるので、お得感を重視する人は要チェックです。次のような還元率ランキングなどもサイト等に掲載されているので参考にしましょう。

ふるさと納税 NO.1比較サイト「ふるさと納税ガイド」

トップページ

還元率ランキング

※還元率計算の基となる「市場価格」はサイトによって異なるため、還元率はあくまでも目安となります。

お得な返礼品の還元率の目安

　とはいえ、各返礼品の紹介ページに還元率が書いてあるわけではありません。

　同じ返礼品（牛肉、豚肉、米等）でも、その品質・ランク等によって「市場価格」は大きく異なるので、素人には「市場価格」のリサーチは難しいもの。

　そこで簡易的な判断材料として、返礼品の「分量」が一つの目安となります。以下の分量以上であれば、品質・ランク等にかかわらず、各返礼品のトップクラスの高還元率と言えるでしょう。

高還元率の分量の目安（寄附額１万円の場合）

いちご
1.5kg

牛肉
1.2kg
（ブランド牛は800g）

豚肉
3kg

ハンバーグ 20個

ぶどう
1.2kg

米
20kg

ビール
（350ml缶）
12本

辛子明太子（切れ子）
1.5kg

ポイントの合わせ技でさらにお得になる！

もらえるのは返礼品だけではない

　サイトによっては、各サイト内で使えるポイントがもらえます。このポイントは、自治体の返礼品とは別の、各サイト独自のサービスです。ですので、直接自治体に申し込むよりも、ポイントがもらえるふるさと納税サイトから申し込むのが絶対にお得。また、期間限定キャンペーンによる特典も見逃せません。

①
**各サイトが
発行する
ポイント**

＋

②
**返礼品と
交換できる
ポイント**

↓
50ページ

③
**決済で
ゲットできる
ポイント**

↓
51ページ

①各サイトが発行するポイント

さとふる
さとふるマイポイント

- キャンペーンに参加してさとふるマイポイントを獲得
- 「さとふるマイステップ」（会員ステータス）の条件達成状況に応じて付与率や交換率が変わる
- PayPayポイントと交換可能

ふるなび
ふるなびコイン

- 寄附額の1～2％
- レビュー投稿で加算あり
- Amazonギフト券、PayPayなどに交換可能

au PAY ふるさと納税
Pontaポイント

- 寄附額の1％
- au PAY マーケットで利用可能
- au PAY マーケットの「お得なポイント交換所」を利用するとお買い物が更にお得

ANAのふるさと納税
ANAマイル

- 寄附額の1％
- ANAカードで寄附することで、クレジットカードのポイント分も合わせて寄附額の最大3％

楽天
ふるさと納税
楽天ポイント

- 楽天の各種サービスの利用状況や、キャンペーンなどの併用によって、寄附額の最大30％
- 楽天市場で利用できる

著者が2022年8月某日に寄附したときの還元率は12％
（内訳は以下）

- 楽天会員　　　＋1％
- 楽天カード利用　＋2％
- 楽天銀行引落　　＋0.5％
- 楽天証券利用
  投資信託3万円分購入　＋0.5％
  アメリカ株3万円分購入　＋0.5％
- 楽天ブックス利用　　＋0.5％
- 楽天トラベル利用　　＋1％
- 楽天イーグルス勝利　＋1％
- 0と5のつく日　　　＋2％
- ショップ買い回りキャンペーン　＋3％

※付与率は毎月の取引状況に応じて変わります

ポイントの合わせ技で さらにお得になる

②返礼品と交換できるポイント

　　自治体によっては、返礼品としてモノやサービスではなく、寄附額に応じた「ポイント」を選ぶことができます。

　　このポイントは、好きなタイミングで、ポイント数に応じた返礼品と交換することができます。なので、年末ギリギリにどうしても返礼品を決められないときは、いったんポイントをもらって、後でゆっくり選ぶのもアリです。しかも、このポイントは繰り越して合算できるので、より高価な返礼品を選べるチャンスが広がります。

　　ただし、ポイントには有効期限があるケースもあるので注意が必要です。

ふるさとチョイス
チョイス公式ポイント

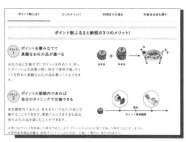

ふるなび
ポイント制ふるさと納税

さのちょく
さのちょくポイント

③決済でゲットできるポイント

　支払方法にはいろいろありますが、なかでもお勧めしたいのはクレジットカード払いです。なぜなら、クレジットカード独自のポイント（0.5〜1％程度）がつくからで、とくに還元率の高いカードを持っている人はお得です。

　また最近では、携帯キャリア決済やスマホ決済サービスなどが使えるケースも増えており、普段から使い慣れているもの、ポイント等が多くつくものを持っていれば、それを選ぶのもアリです。

　ただし、選べる支払方法の種類はサイトや自治体によって異なるので、気をつけましょう。

ふるさとチョイス
- クレジットカード
- Amazon Pay
- d 払い
- au PAY
- 楽天ペイ
- メルペイ
- ペイディ
- PayPal
- PayPay
- au かんたん決済
- ソフトバンクまとめて支払い
- ネットバンク支払い
- コンビニ決済

さとふる
- クレジットカード
- PayPay オンライン決済
- d 払い
- ペイジー
- au かんたん決済
- ソフトバンクまとめて支払い
- コンビニ決済

ふるなび
- クレジットカード
- d 払い
- Amazon Pay
- 楽天ペイ
- PayPay

楽天ふるさと納税
- クレジットカード
- 銀行振込
- Apple Pay

※自治体によっては「郵便振替」「銀行振込」「現金書留」「納付書払い」「コンビニ決済」「直接持参」等も可能。
ただし、いずれもポイント等はつかず、場合によっては手数料が発生するケースもある。

著者の「ピッタリ」サイト

　山登りが好きな私は先日、モンベル（アウトドア総合メーカー）の会報誌で、モンベル運営の 「モンベルフレンドエリアふるさと納税」を知りました。

　このサイトでは、モンベルと提携しているアウトドアライフをサポートする自治体が掲載されており、寄附額の５％分のモンベルポイントが付与され、オリジナル返礼品もあります。

　掲載自治体・返礼品数は多くはなく、ニッチなふるさと納税サイトですが、それでもコアなモンベルユーザーには大いに魅力的です。

**mont-bell
フレンドエリア
ふるさと納税**
※モンベルクラブ会員限定

こんな場合は返礼品を受け取れないかも

**自分が住んでいる
自治体への寄附**

**同じ自治体に
年２回以上の
寄附をする**

**もともと
返礼品のない
純粋な寄附**

　寄附をしても、返礼品を受け取れないかもしれないケースがいくつかあるので、要注意です。

　まずは、「自分が住んでいる自治体に寄附をした場合」。原則として、居住自治体への寄附については、返礼品を受け取ることはできません。魅力的な返礼品のある自治体に住んでいる人は、ちょっと残念ですね。

　そして、「同じ自治体に年２回以上の寄附をした場合」。自治体によっては、年に２回以上の寄附をしても、２回目以降の寄附については返礼品を送らないところもあります。魅力的な返礼品をいくつも用意しており、何度も寄附したくなるような自治体も多いので、これは事前にしっかり確認が必要ですね。

　あとは、「返礼品なしコース（災害支援など）へ寄附した場合」も、当然ながら返礼品はありません。ただ、これについてはあらかじめ確認・納得した上での寄附でしょうから、問題はないですね。

第3章

なぜ
税金が安く
なるのか？

なぜ「年間2,000円の負担」で済むの？

「年間2,000円の負担」とは？

　ふるさと納税では、年間 2,000 円の負担だけで全国各地の名産・特産品がもらえます。

　これは「年間寄附額− 2,000 円」の分だけ税金が安くなる（控除される）からです。そのしくみをまとめたのが下の図です。

　安くなる税金は、所得税と住民税です。

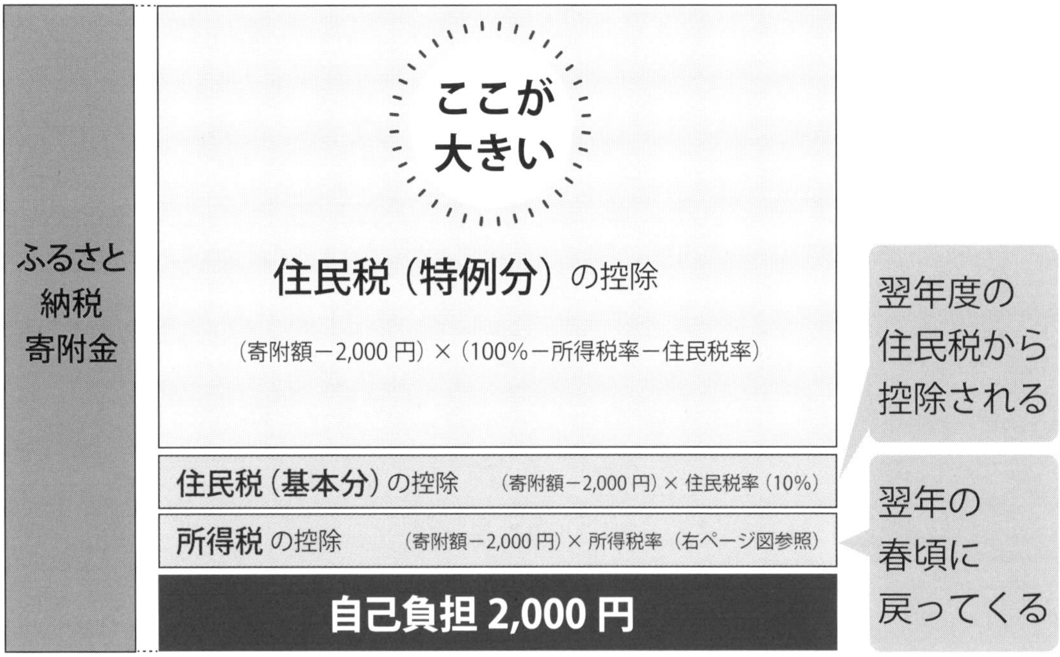

ふるさと
納税
寄附金

**ここが
大きい**

住民税（特例分）の控除

（寄附額−2,000 円）×（100%−所得税率−住民税率）

翌年度の
住民税から
控除される

住民税（基本分）の控除　　（寄附額−2,000 円）× 住民税率（10%）

所得税 の控除　　（寄附額−2,000 円）× 所得税率（右ページ図参照）

翌年の
春頃に
戻ってくる

自己負担 2,000 円

税金が「安くなる」とは
税金が控除される（差し引かれる）
ということ

※本書では復興特別所得税は考慮していません

「1回の寄附につき、2,000円の自己負担」との誤解が少なくありません。それではあまりお得感はないですよね。「1回の寄附で2,000円」ではなく「年間の寄附で2,000円」ですので、そこは確認してください。

ポイントは「住民税（特例分）」

　ただ、左ページの「所得税の控除」「住民税（基本分）の控除」（グレー部分）だけであれば、あくまでも「寄附額－2,000円」にかかる所得税・住民税が安くなるというだけで、「寄附額－2,000円」そのものが安くなるわけではないですよね。

　そこでポイントとなるのが、「住民税（特例分）」です。

　左図の控除額の計算式から分かるように、「住民税（特例分）」の部分によって、トータルして「寄附額－2,000円」のすべて（100%）、税金が安くなるのです。

所得税の税率について

　所得税率は、課税される所得金額が上がるに応じて、段階的に高い税率が適用される超過累進税率である。

所得税率

課税される所得金額		税率
1,000円から	1,949,000円まで	5%
1,950,000円から	3,299,000円まで	10%
3,300,000円から	6,949,000円まで	20%
6,950,000円から	8,999,000円まで	23%
9,000,000円から	17,999,000円まで	33%
18,000,000円から	39,999,000円まで	40%
40,000,000円以上		45%

控除額には上限がある

上限額はどのくらい？

　残念ながら、ふるさと納税で安くなる（控除される）税金には上限があります。必ずしも、「年間寄附額－2,000円」の分だけ、税金が安くなるとは限らないのです。

　では、その上限についてのしくみを、年間寄附額5万円のケースで説明しましょう。

年間寄附額5万円・所得税率10%・住民税額10万円の場合

この場合の自己負担額は 2,000円 +18,400円＝20,400円
（上限超過額）

　図のとおり、一般的にふるさと納税の控除は、「住民税（特例分）」が大きいです。しかし、この「住民税（特例分）」の控除額にこそ、『住民税額の2割まで』という上限があるのです（正確には『住民税所得割額の2割まで』）。

　ですので、仮に住民税額が10万円であれば、安くなる住民税（特例分）の上限は2万円。なので、年間寄附額が5万円であっても、安くなる税金はトータルで2万9,600円が上限となるので要注意なのです。

上限額は、税額によって異なります。
ただ、同じ年収でも、家族構成によって税額は異なるので、年収だけでなく家族構成もしっかり確認しましょう。

上限額（自己負担が2,000円で済む寄附額）の目安例

年収300万円 **独身**	年間 **2万8,000円** の寄附ができる	年間 **8,400円**程度 の返礼品がもらえる
年収500万円 **共働き夫婦**	年間 **6万1,000円** の寄附ができる	年間 **1万8,300円**程度 の返礼品がもらえる
年収600万円 **共働き** **＋** **子1人**（高校生）	年間 **6万9,000円** の寄附ができる	年間 **2万700円**程度 の返礼品がもらえる
年収900万円 **夫婦** **＋** **子2人**（高校生＋大学生）	年間 **11万9,000円** の寄附ができる	年間 **3万5,700円**程度 の返礼品がもらえる

※1…「共働き」は、ふるさと納税を行う方本人が配偶者（特別）控除の適用を受けていないケースを指します。（配偶者の給与収入が201万円超の場合）
※2…「夫婦」は、ふるさと納税を行う方の配偶者に収入がないケースを指します。
※3…「高校生」は「16歳から18歳の扶養親族」を、「大学生」は「19歳から22歳の特定扶養親族」を指します。
※4…中学生以下の子供は（控除額に影響がないため）、計算に入れる必要はありません。
たとえば、「夫婦子1人（小学生）」は、「夫婦」と同額になります。また、「夫婦子2人（高校生と中学生）」は、「夫婦子1人（高校生）」と同額になります。

確認してみよう

	独身または 共働き	夫婦	共働き＋子1人 （高校生[3]）
300万円	28,000	19,000	19,000
325万円	31,000	23,000	23,000
350万円	34,000	26,000	26,000
375万円	38,000	29,000	29,000
400万円	42,000	33,000	33,000
425万円	45,000	37,000	37,000
450万円	52,000	41,000	41,000
475万円	56,000	45,000	45,000
500万円	61,000	49,000	49,000
525万円	65,000	56,000	56,000
550万円	69,000	60,000	60,000
575万円	73,000	64,000	64,000
600万円	77,000	69,000	69,000
625万円	81,000	73,000	73,000
650万円	97,000	77,000	77,000
675万円	102,000	81,000	81,000
700万円	108,000	86,000	86,000
725万円	113,000	104,000	104,000
750万円	118,000	109,000	109,000
775万円	124,000	114,000	114,000
800万円	129,000	120,000	120,000
825万円	135,000	125,000	125,000
850万円	140,000	131,000	131,000
875万円	146,000	137,000	136,000
900万円	152,000	143,000	141,000
925万円	159,000	150,000	148,000
950万円	166,000	157,000	154,000
975万円	173,000	164,000	160,000
1000万円	180,000	171,000	166,000

ふるさと納税を行う方本人の給与収入

全額控除されるふるさと納税額の目安（年間上限）

年収別寄附金上限額確認簡易表

共働き＋子1人 （大学生[※3]）	夫婦＋子1人 （高校生）	共働き＋子2人 （大学生と高校生）	夫婦＋子2人 （大学生と高校生）
15,000	11,000	7,000	-
18,000	14,000	10,000	3,000
22,000	18,000	13,000	5,000
25,000	21,000	17,000	8,000
29,000	25,000	21,000	12,000
33,000	29,000	24,000	16,000
37,000	33,000	28,000	20,000
40,000	36,000	32,000	24,000
44,000	40,000	36,000	28,000
49,000	44,000	40,000	31,000
57,000	48,000	44,000	35,000
61,000	56,000	48,000	39,000
66,000	60,000	57,000	43,000
70,000	64,000	61,000	48,000
74,000	68,000	65,000	53,000
78,000	73,000	70,000	62,000
83,000	78,000	75,000	66,000
88,000	82,000	79,000	71,000
106,000	87,000	84,000	76,000
111,000	105,000	89,000	80,000
116,000	110,000	107,000	85,000
122,000	116,000	112,000	90,000
127,000	121,000	118,000	108,000
132,000	126,000	123,000	114,000
138,000	132,000	128,000	119,000
144,000	138,000	135,000	125,000
150,000	144,000	141,000	131,000
157,000	151,000	147,000	138,000
163,000	157,000	153,000	144,000

総務省「全額控除されるふるさと納税額（年間上限）の目安」より（https://www.soumu.go.jp/main_sosiki/jichi_zeisei/czaisei/czaisei_seido/furusato/mechanism/deduction.html）　※注釈については57ページと同様

寄附額が控除額の
上限を超えたら？
上限に満たなかったら？

上限を超えたら自己負担が増える

　確認したいのは、前項で説明した「控除額上限」とは、あくまでも「税金が控除される上限」であって、寄附額そのものには上限はないことです。ですので、寄附そのものはいくらでもできます。

　しかし、控除額上限を超える金額を寄附した部分は、控除されません。すなわち税金が安くならないわけです。その場合、負担額は年間2,000円だけでは済まず、その上限を超える部分が加わることとなってしまうので気を付けたいところです。

　とはいえ、「上限を超えるから、これ以上は寄附をしない」というのも、見返りを求めるものではないという寄附の本質からすれば、変な話かもしれませんね。本当に寄附をしたいのであれば、控除にこだわらず、たとえ自己負担が増えたとしても、寄附をすればいいでしょう。

上限に満たないと
チャンスを見逃すことに

　上限に満たない場合はお得を見逃すこととなり、もったいないことです。

　たとえば、寄附額が上限に1万円足りなかったとしましょう。この場合、もし追加で1万円を寄附していれば、およそ3,000円分の返礼品をもらうことができて、その寄附した1万円分だけ、税金が安くなります。寄附額が控除額上限に満たない、すなわち控除枠を余らせてしまうことは、そんなお得なチャンスをみすみす見逃すことになるのです。

控除額上限
ピッタリに
こだわりすぎない

控除額上限こそ理想の寄附額だが…

控除額上限に対して、寄附額に過不足があると、「実質負担が2,000円で済まない」や「返礼品をもらえるチャンスを逃す」といった結果となります。

年間寄附額は、できるだけきっちりと控除額上限に収めることが理想的で、そのときにこそ、ふるさと納税の恩恵を最大限受けることができるのです。すなわち、実質負担2,000円で自身の最大限の寄附をすることができると言えるでしょう。

多少の上限オーバーは
気にしなくていい

とはいえ、返礼品がもらえるのは寄附額5,000円程度からのものが多いという事情もあり、現実的には、寄附額を上限ピッタリにすることは難しいものです。ですので、上限ピッタリにこだわらずに、「できるだけ近づける」ように意識すればよく、その際には、多少のオーバーは気にしないことです。

たとえば、全額控除される（上限ピッタリの）寄附額が4万9,000円のところ、年間寄附額がすでに4万5,000円となっていて、あと5,000円の寄附をするかを迷っているような状況であれば、全額控除にこだわらずに5万円寄附すればよいでしょう。

この場合、自己負担額は2,000円＋上限を超えた1,000円となりますが、それが還元率の高い返礼品であれば、上限額を多少オーバーしていてもやはりお得なことが多いので、気にしないことです。

こんな人は要注意

ふるさと納税で得をしない人もいる

　ご自身の状況によっては、ふるさと納税をしても得をしないケースや、もっとお得かと思っていたのに意外とそうでもなかったケースもあるので、気をつけたいところです。

自分で税金を払っていない人

　ふるさと納税のメリットは、「寄附をした分だけ税金が控除される」ことです。ですので、ふるさと納税で得をするのは、税金を払っていることが大前提となります。たとえばいわゆる専業主婦のように、自分で税金を払っていなければ、安くなる（控除される）税金がないわけですから。

給料以外の収入があった人

　会社員や公務員にとって収入とはお給料ですが、それ以外にも、「自宅を売る」「株式投資などで稼ぐ」こともあるでしょう。そんな収入があった年は、例年よりも控除額上限が上がり、より多額の寄附ができるかもしれません。

　ただし、そういった収入には特例や非課税制度もあります。たとえば、居住用不動産の譲渡には、3,000万円の特別控除があります。NISA制度を利用した投資でも、新規投資額年間120万円までであれば、最高5年間、投資収益（売却益や配当金等）は非課税となります。

　これらを活用して税金がかからない場合は、いくら収入が増えても、ふるさと納税の効果には関係ないので注意しましょう。

ふるさと納税をフルに活用するには、ある程度、税金の知識も必要となります。ふるさと納税をすることで、自身の税金について関心を持つきっかけになればよいですね。

積極的にいろいろ節税をしている人

収入がたくさんあるからといって、税金を（たくさん）払っているとは限りません。なぜなら、うまく節税をしている人も多いからです。

節税といえば自営業のイメージが強いですが、一般的な会社員や公務員でも、「医療費控除」や「雑損控除」といった、税金が安くなる制度を活用している人は少なくないはず。

税金が安くなるのは嬉しいですが、その分、ふるさと納税のメリットは薄れてしまう（控除額上限が下がる）ので要注意です。

医療費控除　　　　　　　雑損控除

生命保険料
控除　　　　　　　　　　地震保険料
　　　　　　　　　　　　控除

小規模企業
共済等
掛金控除　　　　　　　　社会保険料
　　　　　　　　　　　　控除

58 〜 59 ページの「全額控除されるふるさと納税額の目安」表の計算には、上記のような「税金が安くなる制度」は反映されていません。なので、上記のような制度を積極的に使っている人は、別途シミュレーションサイト等を使って、自身の金額を計算しましょう。

住宅ローン控除の利用者はご注意を

　住宅ローン控除とは、「年末ローン残高の一定割合」が、所得税額から控除される制度です。

　ところで、ふるさと納税をした場合には、「（寄附額− 2,000 円）×所得税率」が、所得税額から控除されますよね（54 ページ参照）。でも、ふるさと納税によって所得税額が減ってしまっても、そこから住宅ローン控除額が引き切れれば問題ありません。問題は、所得税額から住宅ローン控除額が引き切れない場合で、その場合、ふるさと納税によって所得税額が減ってしまった分、住宅ローン控除による控除額も減ってしまうのです。

　とはいえ、住宅ローン控除では、「所得税額から控除しきれない場合には、その控除しきれない金額は住民税額から控除」されます。なので、一見問題ないようですが、住民税額から控除される金額には上限があるのです。所得税額から控除しきれず、住民税額から控除される住宅ローン控除額が、その上限を超えている場合は、その超えた金額は自己負担となってしまうのです。

　なので、状況によっては、ふるさと納税を利用することで、住宅ローン控除の恩恵をフルに受けられない可能性があるのです。

　ただし、それは確定申告をした場合であって、ワンストップ特例であれば、ふるさと納税の控除は全額住民税からなので（70 ページ参照）影響はありません。とはいえ、住宅ローン控除は初年度のみ確定申告が必要なので、注意が必要です。

ふるさと納税はあやしい？

　ふるさと納税の相談やセミナーにて、「ふるさと納税って、話がうま過ぎないか？」「何かカラクリがあるのでは？」と質問される、というか問い詰められることは少なくありません。たしかに、「年間 2,000 円の負担だけで、全国各地の名産・特産品がもらえる」とだけ聞けば、あまりにも美味しすぎる話で、慎重に構えてしまうのも無理ありませんね。そのしくみをある程度理解していないと、「あやしい」と感じてしまう人もいるでしょう。

　しかし、本書をお読みいただければわかるように、決してあやしい制度ではありません。要件を満たす人が、きちんと手続きをすれば、決して損することはない制度です。制度の詳細を知らないまま、「何となくあやしいから」と利用しないのはもったいないことです。ふるさと納税は義務ではないので、絶対に利用しなければいけないものではありませんが、少なくとも「食わず嫌い」は避けたいところですね。

第4章

税金を安く
するための
手続き

税金を安くするための手続き

手続きの方法は2種類

税金を安くしてもらうための方法は、基本的に確定申告となります。

ただ、確定申告の経験などない人がほとんどではないでしょうか？

安心してください、ふるさと納税では「ワンストップ特例」といって、面倒な確定申告をしなくても、かんたんな手続きで税金が安くなる便利な制度があるのです。

寄附先が5ヵ所まで → ワンストップ特例

寄附先が6ヵ所以上 → 確定申告

ワンストップ特例のハードルは決して高くはなく、一般的な会社員や公務員であれば、多くの人が利用することができるのです。

ただし、会社員や公務員であっても、必ず確定申告をしなければいけない人、もしくは確定申告をしようとする人は、ワンストップ特例は使えません。

なお、以下のような人は、確定申告の義務はありませんが、確定申告をすることで得するかもしれません。

・年間10万円を超える医療費を支払った

・災害・盗難・横領等によって損害を被った

・確定拠出年金の掛金を支払った

・株式や投資信託で売却損が出た

・住宅ローンを組んだ

・省エネやバリアフリーのリフォームをした

・年の中途で退職して、年末調整を受けていない

ふるさと納税は、各自治体に寄附をすることで「税金が安くなる（控除される）」わけですが、何もしないで勝手に税金が安くなることはありません。税金を安くするための手続きが必要となります。

ワンストップ特例

以下の両方を満たすときに利用できる

確定申告をする必要がない

一般的な会社員や公務員など

1年間（1月1日〜12月31日）に寄附した自治体の数が5つ以下

（1つの自治体に複数回寄附をしていても、寄附した自治体の数が5つ以下であればOK）

一般的な会社員や公務員の場合は、勤務先が源泉徴収・年末調整によって手続きをしてくれるので、確定申告は不要。年金受給者も、公的年金等の収入金額が400万円以下で、かつ、公的年金等以外の所得金額が20万円以下であるときは、確定申告は不要

確定申告

・1年間（1月1日〜12月31日）の所得と、それに対する所得税額を計算し、確定申告書を税務署に提出し、納税する手続きのこと
・申告期間は翌年2月16日〜3月15日

必ず確定申告をしなければいけない人

自営業者や大家、地主など	副業の稼ぎ（給料や退職金以外）が年間20万円を超える会社員・公務員	2ヵ所以上から給料を受け取っている会社員・公務員	年収が2,000万円を超える会社員・公務員	公的年金等の収入が400万円を超える年金受給者	公的年金等以外の所得が年間20万円を超える年金受給者

ワンストップ特例と確定申告、どっちがいい？

確定申告の方が楽なこともある？

　一般には、確定申告をするよりも、ワンストップ特例の方がずっと楽だとされています。

　しかしワンストップ特例の場合、1回寄附をする毎に、申請書を記入して、寄附先の自治体に送る必要があります。本人確認書類のコピーも必要なので、これは相当数の寄附をしている人にとっては、かなり面倒な作業かもしれませんね。

　これが確定申告であれば、何回寄附をしても申告は1回で済むので、寄附の回数が多い人は、確定申告の方が楽かもしれません。

　また、ワンストップ特例の申請期限は翌年1月10日なのに対し、確定申告の期限は翌年3月15日とかなり余裕があります。ですので、要件を満たすからと言って、何も考えずにワンストップ特例を利用するのではなく、自身の状況に応じて、確定申告も検討してもよいかもしれませんね。

　確定申告をすることで、ふるさと納税だけでなく、医療費控除や雑損控除など、これまで気付かなかった節税テクニックを身につけるチャンスとなるかもしれません。

スマホだけで手続きを完了できる

　ふるさと納税サイト「さとふる」では、2022年秋より、ワンストップ特例の申請が、完全オンラインで完結するサービスを導入しました。これにより、申請書の記入や本人確認書類のコピー、そしてそれらの郵送作業などが必要なくなることから、今後ますます、完全オンライン化の波は広がっていくことが予想されます。

　マイナンバーカードの取得や専用アプリのダウンロード等の事前準備は必要ですが、どんどん便利に手軽になっていくふるさと納税なのです。

ワンストップ特例の申請をした後に確定申告もできる

両方の手続きをすることも可能

　ワンストップ特例を申請していても（寄附先の自治体へ申請書を提出していても）、確定申告をしてもかまいません。

　たとえば、ワンストップ 特例を申請したものの、後になって医療費控除や住宅ローン控除などが使えることが判明することもあるわけですから。その場合、確定申告をすることで節税になるので、確定申告したほうがお得です。

　「すでにワンストップ特例の申請をしてしまったから確定申告することができない」と思い込んで、確定申告を諦めてしまってはもったいないです。ぜひ、確定申告を検討してみてください。

両方の手続きをした場合は
ワンストップ特例は無効になる

　ただし、ワンストップ特例申請後に確定申告をする場合、気を付けたいことがあります。

　それは、ワンストップ特例の申請はすべて自動的に無効となってしまうことです。ですので、確定申告時には、ワンストップ特例で申請した寄附情報（寄附先の自治体や寄附金額）も忘れずに記載してください。

　「ワンストップ特例を申請しているから、確定申告書には寄附情報は記載しなくてもよい」との誤解も少なくないので注意しましょう。

両方の手続きをすると…　確定申告　ワンストップ特例　無効になる

ワンストップ特例の手続き

手続きの流れ（一般的な会社員の場合）

step 1
寄附を申し込むときに、「ワンストップ特例を受ける（希望する）」旨の欄にチェックをする

※自治体に直接申し込む場合も、各ふるさと納税サイトから申し込む場合も、「ワンストップ特例」申し込みの有無についての確認はある

step 2
「ワンストップ特例申請書」が届くので、必要事項を記入する

※申請書が届くタイミングは自治体によって異なる
※自治体や寄附時期（年末ギリギリの場合など）によっては申請書が送られない場合もあるが、その場合は、各自治体や総務省、各ふるさと納税ポータルサイトよりダウンロードできる。

総務省ホームページ
https://www.soumu.go.jp/main_content/000397109.pdf

step 3
必要事項を記入した申請書と、本人確認書類の写しを寄附先の自治体に送り返す

※1つの自治体に複数回寄附をした場合、寄附をした回数分だけ送り返す必要がある
※寄附をした年の翌年1月10日必着（確定申告の期限である3月15日より早いので注意！）
※申請書を返送後、住所変更等があった場合、各自治体に変更届出書を提出する必要がある。この変更届出書も翌年1月10日必着。

step 4
翌年の住民税が安くなる

※通常は所得税と住民税が安くなるが（54ページ参照）、ワンストップ特例を利用した場合、所得税の分も含めて、住民税のみが安くなる。なお、トータルで安くなる税金の金額は、原則として、確定申告した場合と変わらない。

［例］
寄附額10,000円（所得税率10％）の場合

確定申告の場合	ワンストップ特例の場合
所得税　800円 住民税 7,200円	住民税8,000円

※住宅ローン控除を利用した場合、ワンストップ特例の方が有利となるケースもある。（64ページコラム参照）

令和 **4** 年寄附分　市町村民税／道府県民税　寄附金税額控除に係る申告特例申請書

第五十五号の五様式（附則第二条の四関係）

整理番号		**記入不要**
フリガナ	フルサト　ノウゼイ	
氏　名	**古里　納税**	
個人番号	1 1 1 1 1 1 1 1 1 1 1 1	

令和 **4** 年 **10** 月 **1** 日
○○県△△市長　殿

住　所	○○県△△市 1-2-34
電話番号	1234-56-7890

生年月日　明・大・昭・平・令　**52 . 1 . 28**

申請書を記入した日（寄附をした日ではない）

寄附先の自治体の長

マイナンバー

...する特定の個人を識別するた...を記載してください。

...税法第37条の2（第314条の7）第2項に規定する特例控除対象寄附金（以下「特例控除対象寄附金」という。）について、同法附則第7条第1項（第8項）の規定による寄附金税額控除に係る申告の特例（以下「申告の特例」という。）の適用を受けようとするときは、下の欄に必要な事項を記載してください。

（注1）　上記に記載した内容に変更があった場合、申告特例対...例申請事項変更届出書を提出してください。

寄附をした日
・銀行振込→振込日
・クレジットカード→申込日

...けるために申請を行った者が、...る場合には、申告特例対象年に...同号に係るものに限る。）に...寄附金税額控除の適用を受ける...告書又は市町村民税・道府県民...

1つの自治体に複数回の寄附をした場合、年間寄附額の合計ではなく、1回の寄附ごとの金額（1回の寄附ごとに提出）

1．当団体に対する寄附に関する事項

寄附年月日	寄附金額
令和 **4** 年 **9** 月 **1** 日	**10,000** 円

2．申告の特例の適用に関する事項

　申告の特例の適用を受けるための申請は、①及び②に該当する場合のみすることができます。①及び②に該当する場合、それぞれ下の欄の□にチェックをしてください。

①　地方税法附則第7条第1項（第8項）に規定する申告特例対象寄附者である	✔

　（注）　地方税法附則第7条第1項（第8項）に規定する申告特例対象寄附者とは、⑴及び⑵に該当すると見込まれる者をいいます。
　　⑴　特例控除対象寄附金を支出する年の年分の所得税について所得税法第120条第1項の規定...申告書を提出する義務がない者又は同法第121条（第1項ただし書を除く。）の規定の...る者
　　⑵　特例控除対象寄附金を支出する年の翌年の4月1日の属する年度分の市町村民税・道府...について、当該寄附金に係る寄附金税額控除の控除を受ける目的以外に、市町村民税・道府県民...税の申告書の提出（当該申告書の提出がされたものとみなされる確定申告書の提出を含む。）を...要しない者

必ずチェックする！

②　地方税法附則第7条第2項（第9項）に規定する要件に該当する者である	✔

　（注）　地方税法附則第7条第2項（第9項）に規定する要件に該当する者とは、この申請を含め申告特例対象年の1月1日から12月31日の間に申告の特例の適用を受けるための申請を行う都道府県の知事又は市町村若しくは特別区の長の数が5以下であると見込まれる者をいいます。

---------------------------（切り取り...---------------------------

記入不要

令和　　　年寄附分　市町村民税／道府県民税　寄附金税額控除に係る申告特例申請書受付書

住　所		受付日付印
氏　名	殿	
	受付団体名	

確定申告の手続き

手続きの流れ（一般的な会社員の場合）

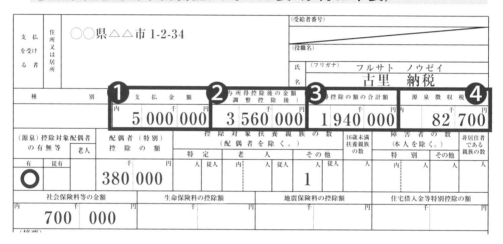

step 1／必要書類を準備する

①源泉徴収票（申告書記入時に必要・添付は不要）

②寄附金受領証明書（基本的に添付必要）

寄附先の自治体から送られてくるので、きっちり保管しておきましょう。

ただし、特定事業者（一般的なふるさと納税サイト運営事業者のこと。詳細は77ページ）を利用して証明書のデータをダウンロードすれば、寄附金受領証明書は添付不要です。

※証明書データをダウンロードした場合は、確定申告時にそのデータを国税庁が提供するQRコード付証明書等システムで読み込み、プリントアウトした書類を添付します。e-Tax（76～77ページ）をする場合は、そのデータを送信すればOKです

※なお、マイナポータル連携サービスを利用すれば、電子申告時に寄附情報が自動で反映されるので、さらに便利です

③その他

医療費控除や雑損控除、住宅ローン控除等を利用する場合には、各種控除の申告において必要とされる書類

これまで確定申告書には「申告書A」「申告書B」がありましたが、令和5年1月から簡易な申告書であった「申告書A」は廃止され、「申告書B」に一本化されます。

step 2 / 確定申告書を記入する

記入例：74・75ページ

　一般的な会社員である古里さん（普段は年末調整により確定申告をしていない）が、年間3万円、ふるさと納税による寄附をして、確定申告をしたケース

※確定申告書はダウンロード可能→国税庁
https://www.nta.go.jp/taxes/shiraberu/shinkoku/
yoshiki/01/shinkokusho/pdf/r03/02.pdf

step 3 / 提出する

★提出期間は寄附をした年の翌年2月16日から3月15日

2023年の提出期間：2月16日（木）〜3月15日（水）

※ただし、還付申告については、翌年1月1日から提出することができる
（79ページ参照）

★住所地の税務署に提出

税務署の所在地などを知りたい時→
国税庁「税務署の所在地などを知りたい方」で郵便番号を入力
https://www.nta.go.jp/about/organization/access/map.htm

★ネットの確定申告書等作成コーナーで入力して「印刷して提出」を選ぶことも可能
手書きで申告書を作成するよりもずっと楽

国税庁 確定申告書等作成コーナー→
https://www.keisan.nta.go.jp/kyoutu/ky/
sm/top#bsctrl

【確定申告書記入例】

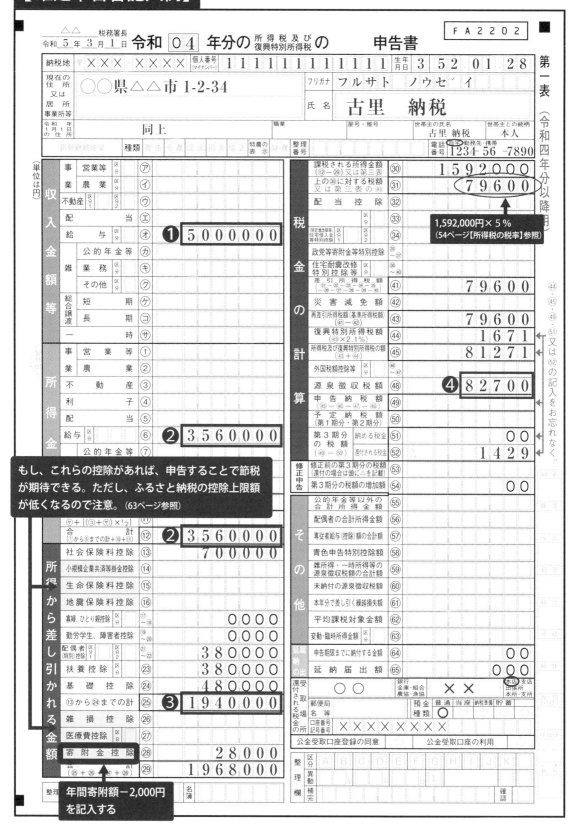

もし、これらの控除があれば、申告することで節税が期待できる。ただし、ふるさと納税の控除上限額が低くなるので注意。（63ページ参照）

年間寄附額－2,000円を記入する

1,592,000円×5％
（54ページ【所得税の税率】参照）

令和 [04] 年分の 所得税及び 復興特別所得税 の 申告書

	保険料等の種類	支払保険料等の計	うち年末調整等以外
⑬⑭ 社会保険料控除 小規模企業共済等掛金控除	源泉徴収票の通り	700,000 円	円
⑮ 生命保険料控除	新生命保険料	円	円
	旧生命保険料		
	新個人年金保険料		
	旧個人年金保険料		
	介護医療保険料		
⑯ 地震保険料控除	地震保険料	円	円
	旧長期損害保険料		

住　所
屋　号
フリガナ 氏　名

○○県△△市 1-2-34

フルサト　ノウゼイ
古里　納税

○ 所得の内訳 （所得税及び復興特別所得税の源泉徴収税額）

所得の種類	種目	給与などの支払者の「名称」及び「法人番号又は所在地」等	収入金額	源泉徴収税額
給与	給与	株式会社☆☆	5,000,000	82,700 円
		㊽ 源泉徴収税額の合計額		82,700 円

本人に関する事項 (⑰〜⑳) □死別 □生死不明 □離婚 □未帰還 ／ □ひとり親 ／ 勤労学生 □年調以外かつ専修学校等 ／ 障害者 ／ 特別障害者

○ 総合課税の譲渡所得、一時所得に関する事項 (⑪)

所得の種類	収入金額	必要経費等	差引金額
	円	円	円

○ 雑損控除に関する事項 (㉖)

損害の原因	損害年月日	損害を受けた資産の種類など
	． ．	

| 損害金額 | 円 | 保険金などで補填される金額 | 円 | 差引損失額のうち災害関連支出の金額 | 円 |

○ 寄附金控除に関する事項 (㉘)

寄附先の名称等	◇◇県××市・☆☆県××町	寄附金	30,000

特例適用条文等

ここを忘れずに!! 年間寄附額を記入する

○ 配偶者や親族に関する事項 (⑳〜㉓)

氏名	個人番号	続柄	生年月日	障害者	国外居住	住民税	その他
古里 花子	1 1 1 1 1 1 1 1 1 1 1 1	配偶者	明・大 平 52 . 2 . 20	障 特障	国外 年調	16 別居	調
古里 太郎	1 1 1 1 1 1 1 1 1 1 1 1	子	明・大 昭㊥令 17 . 6 . 1	障 特障	国外 年調	16 別居	調
			明・大 昭・平・令 ． ．	障 特障	国外 年調	16 別居	調
			明・大 昭・平・令 ． ．	障 特障	国外 年調	16 別居	調

○ 事業専従者に関する事項 (�57)

事業専従者の氏名	個人番号	続柄	生年月日	従事月数・程度・仕事の内容	専従者給与（控除）額
			明・大 昭・平 ． ．		
			明・大 昭・平 ． ．		

○ 住民税・事業税に関する事項

住民税	非上場株式の少額配当等	非居住者の特例	配当割額控除額	株式等譲渡所得割額控除額	特定配当等・特定株式等譲渡所得の全部の申告不要	給与、公的年金等以外の所得に係る住民税の徴収方法		都道府県、市区町村への寄附（特例控除対象）	共同募金、日赤その他の寄附	都道府県条例指定寄附	市区町村条例指定寄附
						特別徴収	自分で納付	30,000			

退職所得のある配偶者・親族の氏名	個人番号	続柄	生年月日	退職所得を除く所得金額	障害者	その他	寡婦・ひとり親
			明・大 昭・平 ． ．				

事業税	非課税所得など	番号	所得金額	損益通算の特例適用前の不動産所得		前年中の開（廃）業	開始・廃止 月 日
	不動産所得から差し引いた青色申告特別控除額			事業用資産の譲渡損失など		他都道府県の事務所等	

上記の配偶者・親族・事業専従者のうち別居の者の氏名・住所 氏名　住所 ／ 所得税で控除対象配偶者などとした専従者 氏名　給与 ／ 一連番号

税理士署名・電話番号　（　　－　　　　－　　　　）

整理欄 ｜ 申告区分 ｜ 申告等年月日 ｜ 特例適用文 法 ｜ 所得種類 ｜ 申告期限

確定申告の手続き（e-Taxの場合）

ペーパーレスでとても便利

　e-Tax は、従来の紙ベースの申告に比べて、パソコン・スマホの画面案内に従って必要事項を入力し、そのまま送信できるので、非常に便利です。

　便利なだけでなく、税制上の恩恵を受けられたり、添付書類の提出を省略できたりするメリットもあり、近年、e-Tax 利用者は増加中です。ですので、すでに e-Tax を利用されている方も多いのではないでしょうか？

　もちろん、ふるさと納税において確定申告をする際にも、この e-Tax を利用することで、従来の紙ベースの申告に比べてお手軽に申告することができます。

　e-Tax での申告書作成手順については、基本的には、画面の案内に従って、源泉徴収票や寄附金受領証明書の数字を入力していく流れとなります。

　なお、ふるさと納税の申告においては、特定事業者※を利用し、「寄附金控除に関する証明書」のデータをダウンロードして、そのデータを送信することで、寄附情報が自動で反映されるのでさらに便利です。

マイナポータルと連携すればさらに便利

　ただし、自動で反映させるには、マイナポータル連携サービスを利用する必要があります。

　マイナポータル連携とは、確定申告手続について、マイナポータル経由で、控除証明書等の必要書類のデータを一括取得し、各種申告書の該当項目へ自動入力する機能です。マイナンバーカードとパスワード、スマートフォン又はＩＣカードリーダライタの準備と、事前設定が必要とはなりますが、事前設定は初めて利用する１回目のみで、次からは原則として設定は不要です。

　マイナポータル連携の詳細については、国税庁の「マイナポータル連携特設ページ」をご確認ください（右ページ）。

e-Taxとは、所得税等の国税に関する申告をパソコン・スマホで行うしくみのことで、国税電子申告・納税システムといいます。

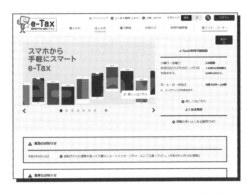

**e-Tax
国税電子申告・
納税システム**

https://www.e-tax.nta.go.jp/

・選択した提出方法によって、事前準備（マイナンバーカード、ＩＣカードリーダライタ、アプリのインストールなど）が異なる
・事前準備ができたら、あとは画面の案内に従って、源泉徴収票や寄附金受領証明書の数字を入力していく

**国税庁
マイナポータル
連携特設ページ**

https://www.nta.go.jp/taxes/tetsuzuki/mynumberinfo/
mynapo.htm

※特定事業者とは

特定事業者とは、国が認めた「ふるさと納税サイト運営事業者」のことで、寄附金受領証明書に代わる「寄附金控除に関する証明書（年間寄附額が１枚にまとまっている）」を発行することができる。令和４年10月13日現在、楽天ふるさと納税やふるさとチョイスといった大手サイトをはじめ、16の事業者（サイト）が登録されており、一般的なサイトであれば特定事業者と思ってよいだろう。

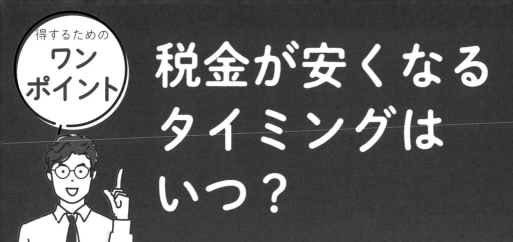

税金が安くなるタイミングはいつ？

所得税は寄附した年の分、住民税は寄附した年の翌年

所得税は、寄附をした年分の税額が安くなります。

一般的な会社員であれば、その年分の所得税はすでに源泉徴収・年末調整で差し引かれているので、確定申告することで、翌年春頃、ふるさと納税で安くなった金額だけ還付される（戻ってくる）ことになります。

一方、住民税は、寄附をした翌年分の税額が安くなります（住民税は後払いなので）。一般的な会社員であれば、寄附をした翌年6月から源泉徴収される住民税が、ふるさと納税で安くなった分だけ、少なくなるのです。

直接還付される所得税に比べて、住民税はその減税効果が実感しにくいわけですね。

所得税	翌年春頃（確定申告から1～2ヵ月後） 安くなった金額分が還付される（戻ってくる）
住民税	翌年6月～ 源泉徴収される税額が安くなった金額分だけ少なくなる

住民税は、所得税のように直接還付されないので、「本当に安くなったのか？」と不安になりますよね。

そこで、本当に安くなったのかを確認できる書類が、毎年5～6月頃、会社から受け取る「住民税決定通知書」です。

寄附した年の翌年に受け取ったこの書類に寄附金税額控除額の記載があって、その金額が、還付された所得税額と合わせて（ワンストップ特例の場合は、住民税のみで）「年間寄附額－2,000円」であれば、しっかり税金は安くなっているので安心してください。

手続きを忘れてしまったらどうなる？

一般の会社員なら還付申告も利用できる

　寄附をした後、税金を安くするための手続きを忘れてしまっては、当然ですが、税金は安くはなりません。とくにワンストップ特例の期限は、翌年1月10日までなので注意が必要です。

　もしワンストップ特例の期限に間に合わない場合は、ワンストップ特例の要件を満たす場合であっても、確定申告をしなければいけません。

　確定申告の期限は翌年3月15日までですが、一般の会社員等が、源泉徴収された税金から、ふるさと納税で寄附した分を取り戻すための申告である「還付申告」であれば、5年間の猶予期間があるので安心です。

　とはいえ、申告が遅れれば、それだけ税金が安くなるタイミングも遅れるので、手続きは早めにしておきたいものです。

ワンストップ特例

期限：翌年1月10日

申請書が届き次第、手続き（申請書の提出）はいつでもできる

確定申告

申告書提出期間：翌年2月16日〜3月15日

ただし「還付申告」であれば、翌年1月1日から提出できる

【著者紹介】
藤原久敏（ふじわら・ひさとし）

1977年大阪府大阪狭山市生まれ。
藤原FP事務所・藤原アセットプランニング合同会社代表。
大阪市立大学（現在は大阪公立大学）文学部哲学科卒業後、
尼崎信用金庫勤務を経て、2001年にファイナンシャルプ
ランナーとして独立。
現在は、主に資産運用に関する講演・執筆等を精力的に
こなし、『あやしい投資話に乗ってみた』（彩図社）、『60歳からのお金の増やし方』
（standards）など著書は30冊を超える。また、2007年より大阪経済法科大学非常勤講
師を勤めている。

超得！　ふるさと納税

2022 年 12 月 6 日第一刷

著者	藤原久敏
発行人	山田有司
発行所	株式会社　彩図社
	東京都豊島区南大塚 3-24-4
	ＭＴビル　〒 170-0005
	TEL：03-5985-8213　FAX：03-5985-8224
印刷所	シナノ印刷株式会社
URL	https://www.saiz.co.jp
	https://twitter.com/saiz_sha

© 2022 Hisatoshi Fujiwara Printed in Japan.　ISBN978-4-8013-0632-5 C0076